Bienvenue
dans le monde des

*Salut, c'est Téa, la sœur de Geronimo Stilton ! Je suis envoyée spéciale de « l'Écho du rongeur », le journal le plus célèbre de l'île des Souris. J'adore les voyages et j'aime rencontrer des gens du monde entier, comme les Téa Sisters. Ce sont cinq amies vraiment épatantes. Je vous les présente !*

Colette a une vraie passion pour le rose et c'est la fille la plus *fashion* du groupe. Toujours occupée à soigner son look, elle est sans cesse en retard !

Violet aime étudier et découvrir sans cesse de nouvelles choses. Elle aime la musique classique et rêve de devenir une grande violoniste !

Paméla mangerait sa pizza adorée même au petit déjeuner.
C'est une mécanicienne accomplie. Donnez-lui un tournevis et elle vous réparera n'importe quel moteur !
PAULINA est un peu timide et brouillonne, mais aussi très altruiste. Comme elle aime voyager, elle connaît des gens de tous les pays.
Nicky est passionnée d'écologie et de nature.
Elle vient d'Australie et aime la vie au grand air.
Elle ne tient pas en place !
Téa Sisters

*Texte de* Téa Stilton.
*Basé sur une idée originale d'*Elisabetta Dami.
*Coordination des textes d'*Alessandra Berello *(Atlantyca S.p.A.).*
*Sujet de* Flavia Barelli *et* Caterina Mognato *(Red Whale).*
*Supervision des textes de* Caterina Mognato *(Red Whale).*
*Coordination éditoriale de* Patrizia Puricelli.
*Édition de* Daniela Finistauri.
*Coordination artistique de* Flavio Ferron.
*Assistance artistique de* Tommaso Valsecchi.
*Couverture de* Giuseppe Facciotto.
*Illustrations intérieures de* Valeria Brambilla *(dessins) et* Francesco Castelli *(couleurs).*
*Graphisme de* Chiara Cebraro.
*Cartes :* Archives Piemme.
*Traduction de* Béatrice Didiot.



**www.geronimostilton.com**

Pour l'édition originale :
© 2010, Edizioni Piemme S.p.A. – Via Tiziano, 32 – 20145 Milan, Italie
sous le titre *Chi si nasconde a Topford ?*
International rights © Atlantyca S.p.A. – Via Leopardi, 8 – 20123 Milan, Italie
www.atlantyca.com – contact : foreignrights@atlantyca.it
Pour l'édition française :
© 2012, Albin Michel Jeunesse – 22, rue Huyghens, 75014 Paris
www.albin-michel.fr
Loi 49-956 du 16 juillet 1949 sur les publications destinées à la jeunesse
Dépôt légal : premier semestre 2012
Numéro d'édition : 19955
ISBN-13 : 978 2 226 23973 0
Imprimé en France par Pollina s.a. en janvier 2012 - L59143

# L'INVITÉE MYSTÉRIEUSE

# Une envie de mer

En ce samedi matin, le collège de Raxford semblait désert. Les cours étaient suspendus pour le week-end et le **SILENCE** régnait dans tout le bâtiment. Mais où étaient donc passés tous ses occupants ?

C'est très simple : à la veille de l'**ÉTÉ**, personne n'avait résisté à la tentation de passer la journée à la ***mer*** !

Alors que la population locale et les touristes préféraient les vastes plages de la côte orientale de l'île

des Baleines, la destination **favorite** des étudiants et des professeurs de Raxford était la plage des Ânons.

Il s'agissait d'une petite anse rocheuse, baignée par des eaux **LIMPIDES** et tranquilles ! Comme les années précédentes, Nicky avait accepté avec **ENTHOUSIASME** d'y faire office de maître-nageur. Chaque samedi et dimanche matin, elle se levait très tôt et, gravissant des sentiers encore **HUMIDES** de rosée, **COURAIT** à petites foulées jusqu'à cette crique. D'aussi bonne heure, il n'y avait jamais personne et Nicky s'accordait sa première **baignade** de la journée dans la plus parfaite quiétude.

Ce matin-là, pourtant, il en alla autrement. Arrivée à la plage, la jeune fille s'aperçut qu'elle n'était pas seule : une **INCONNUE**, assise dans les rochers, fixait les vagues d'un air très absorbé.

**QUI POUVAIT-ELLE BIEN ÊTRE ?**

Alors que Nicky l'observait, intriguée, celle-ci la vit et **BONDIT** sur ses pieds. Elle enfonça

son large chapeau de PAILLE sur sa tête et fila à toute allure. Nicky haussa les épaules : drôle de comportement !

# EN ROUTE !

Pendant ce temps, à Raxford, les autres Téa Sisters, qui étaient très en retard, COURAIENT à perdre haleine !

La voix de Paulina RÉSONNA dans le hall vide :

– Vite, les filles ! Le car ne nous attendra pas : si on ne se DÉPÊCHE pas, on va le rater !

– Colette nous a fait perdre du temps avec ses crèmes ! bougonna Pam, qui traînait une énorme besace, PLEINE de nattes de raphia et de draps de bain.

– Enfin, tout le monde sait qu'il vaut mieux appliquer sa protection solaire *avant* d'aller à la plage ! répliqua l'intéressée, PIQUÉE au vif.

– D'accord, d'accord… Et les vingt minutes que tu as passées à CHOISIR un maillot ?!

– En matière de look… haleta Colette en serrant contre elle son sac de plage **VIOLET**, il ne faut rien **négliger** !

L'arrêt de la ligne de bus reliant le collège à la crique était encore plus fréquenté que d'habitude.

– Vous voilà enfin ! soupira Elly en voyant arriver les Téa Sisters.

Près d'elle se tenaient Shen et Craig, en tenue de **plage**.

Peu après, le car arriva, ponctuel comme à l'accoutumée, mais... **bondé** ! Y monter ne fut pas une mince affaire.

– Les amies, si nous voulons toutes nous asseoir, il faut nous séparer ! suggéra Pam en faisant un signe de main à Paulina, qui avait déjà été ENGLOUTIE par la foule et propulsée vers le fond.

Après avoir été PROJETÉE à droite et à gauche, celle-ci se résigna à rester debout.

Devant elle était assise une vieille dame, qui faisait banquette commune avec un CORPULENT touriste.

– Pfff ! Chaque ÉTÉ, c'est la même histoire : il y a de plus en plus de vacanciers et de moins en moins de places dans le bus… se lamenta la dame.
Son voisin la **REGARDA** avec intérêt.
– Vous êtes d'ici ? lui demanda-t-il. Vous devez connaître toute l'île, non… ?
Paulina remarqua, suspendu au cou de l'homme, un appareil **PHOTO** à téléobjectif professionnel.
– Mon amie Rébecca est littéralement *amoureuse* de cet endroit ! poursuivit-il. Peut-être la connaissez-vous : c'est une jeune femme aux **YEUX** bleus et aux cheveux blonds, coupés au carré. Elle a dû arriver il y a quelques jours… Vous ne l'auriez pas croisée, par hasard ?
La dame n'avait remarqué personne correspondant à cette description, mais l'étranger ne s'avoua pas vaincu et continua, durant tout le

trajet, à glaner des informations auprès de tous ceux qui l'entouraient.
Enfin, le conducteur fit halte à l'arrêt suivant en claironnant :

– La plage des plages !

En quelques instants, plus de la moitié des voyageurs descendit. Le CAR s'en trouva subitement vidé et les Téa Sisters purent se rapprocher les unes des autres.

# La plage des Ânons

Entre-temps, Nicky s'était installée sur un rocher dominant toute la crique, d'où elle scrutait le ciel à l'aide de jumelles. Comme sur l'île des Baleines le temps change souvent RAPIDEMENT, elle étudiait le mouvement des nuages pour vérifier s'il ne se préparait pas un **ORAGE**.

Lorsqu'elle se tourna vers la colline qui était derrière elle, son regard se posa inopinément sur une petite villa isolée, appelée *Le Nid des rouges-gorges*.

C'était une demeure charmante que tous les habitants de l'île appelaient plus simplement LES ROUGES-GORGES. Inoccupée depuis longtemps, elle était tout le temps FERMÉE.

« Étrange, c'est la première fois que je vois les FENÊTRES de cette maison ouvertes, pensa Nicky. Peut-être a-t-elle été louée à des touristes qui ont décidé d'y passer leurs vacances ! »

Soudain quelqu'un sortit, et Nicky reconnut l'estivante qu'elle avait SURPRISE le matin même.

Juste à ce moment se fit entendre l'**AVERTISSEUR** du bus à l'approche, dont le signal retentit sur toute la plage.

**TUT ! TUT ! TUT !**

Nicky repéra immédiatement ses amies parmi ceux qui descendaient pour gagner l'anse, et elle se **HÂTA** de les rejoindre.

– Notre maître-nageur préféré ! la salua Colette en laissant tomber son sac pour mieux se précipiter dans ses bras. Tu as vu combien nous sommes, cette fois ! Tu vas avoir du mal à surveiller tout ce monde…

– Ha, ha, ha ! rit de bon cœur Nicky. Quand vient l'été, la seule solution pour trouver le CALME ici, c'est de venir tôt le matin !

Puis, pensant à la mystérieuse inconnue qu'elle avait **ENTREVUE** dans les rochers, elle rectifia :

– Cela dit, quand je suis arrivée à la plage aujourd'hui, il y avait déjà une vacancière, mais elle s'est éclipsée aussitôt ! Et il semblerait qu'elle ait loué *Les Rouges-Gorges*…

Les visages des quatre autres Téa Sisters se TOURNÈRENT simultanément vers la villa, mais, même en plissant les yeux, on ne distinguait guère, à cette distance, qu'une obscure silhouette humaine sur la falaise.

Craig rompit le charme en proposant à ses amies d'organiser une partie de volley de **PLAGE**.

– On jouera après le déjeuner ! Je compte sur vous ! Ce sera le défi du siècle : profs contre étudiants ! les encouragea-t-il.

L'ENTHOUSIASME de Craig était très contagieux et la perspective d'un aussi joyeux match irrésistible, aussi personne ne se défila !

Au début de l'après-midi, les élèves tendirent le

filet et DÉLIMITÈRENT la zone de jeu. Les deux capitaines se serrèrent sportivement la main. Dans l'ÉQUIPE de Craig se trouvaient Pam et Paulina et dans celle du professeur Show, monsieur Van Kraken et Sourya.

Nicky était restée perchée sur son rocher pour CONTRÔLER la crique de manière à pouvoir faire face à toute éventualité, mais, cédant à la CURIOSITÉ, elle se tournait de temps à autre vers la partie. Tous les autres étudiants s'étaient massés sur les bords du terrain et encourageaient les joueurs.

Ce fut un match plein de suspense ! Les élèves remportèrent rapidement le premier set, mais les enseignants, refusant de s'avouer battus, finirent par gagner avec un avantage de quelques POINTS seulement !

Craig préparait déjà sa revanche, lorsque Violet REGARDA sa montre : déjà 16 heures !

VAS-Y !
BRAVO !

HOURRA !

– Nous avons la réunion de rédaction pour le nouveau numéro du **journal** du collège ! prévint-elle.

*Les filles, nous sommes en retard... Il faut rentrer !*

# En quête d'une idée

D'un commun accord, les deux équipes de volley décidèrent de reporter le match de REVANCHE au lendemain.

– Quand le journal du collège vous réclame… il faut y aller ! déclara le professeur Show.

Nicky poursuivit sa surveillance, pendant que ses amies FILAIENT prendre le bus pour regagner Raxford.

Tanja, la RÉDACTRICE EN CHEF, et les autres journalistes en herbe étaient déjà revenues et, PRESSÉES de commencer, attendaient les Téa Sisters dans la salle de rédaction. Lorsqu'elle les vit arriver, haletantes et la peau légèrement ROUGIE par le soleil, Tanja leur sourit.

– Ne stressez pas, vous aviez bien mérité un moment de **détente** ! Et de toute façon Vanilla n'est pas encore là…
Pour Vanilla de Vissen, en fait, arriver en retard était une preuve de style.
Elle entra quelques minutes plus tard, enveloppée d'un **NUAGE** de parfum, et soupira :
– Pfff ! Pour vous rejoindre, j'ai dû abandonner ma nouvelle baignoire de massage hypertechnologico-hydrotonique !

Tanja la rappela immédiatement à l'ordre :
– Les filles, concentrons-nous ! Il ne nous reste que deux semaines pour préparer le numéro HORS-SÉRIE de l'été et… nous n'avons pas encore de thème !
– Nous pourrions interviewer les pêcheurs du village, hasarda Paulina.
Vanilla l'arrêta en déclarant avec un SOURIRE sarcastique :
– Mais bien sûr ! Comme ça nous endormirons les lecteurs avec l'article le plus ENNUYEUX de tous les temps !
Pam vola au secours de son amie rougissante.
– C'est facile de CRITIQUER, pas vrai, Vanilla ? Pourquoi ne proposes-tu pas quelque chose plutôt ?
– RIEN DE PLUS SIMPLE ! rétorqua-t-elle, réalisons un reportage sur le lieu le plus couru de la saison : le yacht de ma petite maman !
– On l'a déjà fait, l'année dernière, rappela

Tanja. Tu as tellement **INSISTÉ** qu'on a fini par accepter, tu ne t'en souviens pas ?
Cette fois, ce fut Vanilla qui, en entendant les rires de ses camarades, s'**EMPOURPRA**.
– Bref, il faut qu'on fasse jaillir de nos esprits une bonne **IDÉE** ! conclut Tanja.
– La rédaction des pages « Sports » a déjà

bien avancé. Vik a conçu un cahier hors texte SPÉCIAL sur les jeux de plage… Et nous ?!

– NOUS… NOUS… NOUS… Eh bien, commençons par aller dîner ! proposa Elly. Que diriez-vous de reprendre cette réunion demain matin ? Peut-être aura-t-on une ILLUMINATION après une bonne nuit de sommeil...

# ÉCLAIR DE GÉNIE !

Après s'être douchées, les filles se retrouvèrent devant le buffet de la cantine.

Pam, dont la journée à la plage avait creusé l'estomac, remplit son ASSIETTE avec tout ce qui lui tombait sous la main.

Colette SECOUA la tête d'un air désapprobateur.

– Tu ne regardes même pas ce que tu prends… Tu n'as donc jamais entendu parler d'alimentation ÉQUILIBRÉE ?

– Bien sûr que si ! répliqua Pam avec un grand sourire. Regarde mon plateau : il tient en parfait équilibre sur ma main !

Paulina, au contraire, puisait dans les crudités

pour composer sa **FAMEUSE** grande salade fantaisie. Brusquement, elle se tourna vers Colette.

– Mais bien sûr ! Manger sainement au bord de la mer ! s'exclama-t-elle, RADIEUSE. On pourrait proposer ça comme thème principal du numéro hors-série de notre JOURNAL, qu'en dites-vous ?

PAM, TU ES INCORRIGIBLE !

– Certes, s'esclaffa Colette, ça serait bien UTILE à Pam !

Soudain, elle fixa Paulina et lui dit plus sérieusement :

– Une minute, Pilla... ta peau a pris trop de soleil : tu as besoin d'un soin hydratant ! Ne t'en fais pas ! Après le repas, je te ferai un masque à base de légumes !

– Tu es un génie, Colette ! la félicita Paulina en **BATTANT** des mains. Nous ne parlerons pas seulement d'aliments bons pour la santé, mais aussi des moyens naturels pour se **PROTÉGER** du soleil !

Les amies trouvèrent une table libre et s'installèrent pour manger. Mordant dans une gigantesque tranche de pizza, Pam soupira :

– Tu ne peux donc pas arrêter une minute… **miam…** de penser au journal, Pilla ?

Violet, ayant fini son plat de riz, reposa ses **couverts** sur son plateau.

– En fait, moi non plus je n'ai pas arrêté de me triturer les méninges à propos du reportage qu'on pourrait faire pour le numéro d'**ÉTÉ**, confia-t-elle. Et devinez à quoi j'ai pensé ? Quel a été l'événement le plus **IMPORTANT** de cette année scolaire, d'après vous ?

– L'arrivée de madame Ratinsky ! répondit Paulina sans **HÉSITER**.

Colette approuva :

– C'est vrai ! Son cours sur les arts, la musique et le spectacle a été la plus fantastique NOUVEAUTÉ de la rentrée !

Violet acquiesça :

– Gagné ! Et, selon moi, maintenant que l'année touche à sa fin, c'est ce *sujet* qu'on doit traiter !

Violet se mit à expliquer son IDÉE en détail. Malheureusement, elle ne s'aperçut pas que, tout près, certaines tendaient l'OREILLE !

Connie et Zoé avaient trouvé de la place juste à côté des Téa Sisters. Comme une grande plante les DISSIMULAIT à la vue de leurs rivales, les Vanilla Girls pouvaient les écouter en toute tranquillité…

Au début, Connie et Zoé n'avaient guère prêté attention à la conversation de leurs voisines, mais lorsqu'elles entendirent Violet parler du journal, elles comprirent immédiatement qu'elle était en train d'exposer un **PROJET** à ne pas rater.

Violet livra, une à une, toutes ses SUGGESTIONS :

– Pour commencer, nous pourrions interviewer les professeurs du cours. Puis nous présenterions les différentes phases de la préparation d'un spectacle, en **élargissant** la perspective à ce qui se passe en coulisse : l'importance du rôle de ceux qui conçoivent les décors, les costumes, l'éclairage...

– Avec ça, il y a largement de quoi alimenter une rubrique *fixe* dans le journal ! intervint Pam. Si tu veux, je me chargerai de prendre les **PHOTOS** !

– Il y aura du travail pour toutes, observa Colette. C'est une idée *grandiose* !

Paulina colla un baiser sur la joue de Violet.

– Grâce à ton idée, nous réaliserons un SUPER-REPORTAGE !

Lorsque Connie et Zoé entendirent ces dernières paroles, elles pressèrent une main devant leur bouche pour étouffer leurs RICANEMENTS, de peur de se faire remarquer.

– Ce dossier sera fabuleux, en effet, mais... ce ne sont pas les Téa Sisters qui le signeront ! commenta Zoé à voix basse avant de se FAUFILER hors du réfectoire avec son amie.

# LES SOUPÇONS DE NICKY

Après avoir entendu le récit de ses amies, Vanilla resta un moment silencieuse.

– Consacrer le dossier du numéro **SPÉCIAL** au cours de Ratinsky... marmonna-t-elle finalement. Ça m'ennuie de le reconnaître, mais cette fois les Téa Sisters ont été **INSPIRÉES** !

Connie, Zoé et Alicia se regardèrent, perplexes : Vanilla qui faisait l'**ÉLOGE** des Téa Sisters ?!? INCROYABLE !

Et, de fait, immédiatement après, la jeune fille ajouta :

– Malheureusement pour elles, il leur manque la classe requise pour le réaliser...

Zoé comprit aussitôt que Vanilla était en train de mijoter l'un de ses habituels mauvais coups et gloussa en adressant un CLIN D'ŒIL complice à Connie.

Alicia, elle, semblait hésitante.

– D'accord, mais ce sont elles qui en ont eu l'IDÉE, donc ce sont elles qui dirigeront ce hors-série, non ?

Vanilla la foudroya du regard et rétorqua :

– Simple détail ! Je sais déjà comment régler ce petit problème...

Pendant qu'elle exposait son plan à ses amies, les Téa Sisters avaient fini de dîner. Elles BAVARDAIENT joyeusement devant leur assiette vide, quand Nicky, revenue de la plage, fit son ENTRÉE.

Elle rejoignit ses amies à leur table et se laissa tomber sur un siège.

– Ma journée a été vraiment épuisante.

La crique était bondée, mais… je me suis bien amusée !

Les quatre autres Téa Sisters se **rapprochèrent** d'elle, intriguées.

– Que s'est-il passé après notre départ ? A-t-on raté quelque chose ?

Nicky les fixa avec une lueur joyeuse dans les yeux.

– Vous ne devinerez jamais qui est venu à la **PLAGE** !

– Qui ça ? demandèrent en chœur ses amies.

– Le recteur ! dit finalement Nicky en riant, pendant que d'amusantes expressions de **STUPEUR** se peignaient sur le visage de Paméla, Colette, Paulina et Violet.

Paméla, stupéfaite, s'exclama :

– Je n'arrive pas à le croire ! Il n'y va jamais, normalement !

– C'est madame Ratinsky qui l'en a convaincu,

expliqua Nicky. Ils ont même joué aux raquettes... Si vous saviez comme la prof est bonne !

Colette, dont la CURIOSITÉ était plus excitée que jamais, gémit :

– Oh, j'aurais bien voulu les voir !

Nicky sortit de sa poche son téléphone portable et montra à ses amies une PHOTO.

– Regardez, je les ai immortalisés ! On dirait deux adolescents...

Les Téa Sisters se pressèrent devant le minuscule ÉCRAN, amusées.
– Cette photo est digne de la une de notre journal ! plaisanta Paulina.
– Très juste ! renchérit Paméla. J'imagine déjà un titre en grosses lettres, du genre :

**NOUVELLE SENSATIONNELLE :**
**Finalement, le recteur s'accorde un jour de vacances à la mer !**

Violet, désignant une inconnue qui se tenait derrière le recteur et madame Ratinsky, demanda :
– Et elle, qui est-ce ?
Nicky observa **attentivement** l'image et répondit :
– Une touriste qui a poussé la promenade jusqu'à notre plage... Elle n'a pas cessé de poser des

QUESTIONS à tout le monde à propos d'une vacancière aux cheveux blonds coiffés au carré, qui serait arrivée sur l'île récemment…

– Quelle coïncidence ! la coupa Paulina. Ce matin dans le bus, j'ai entendu un estivant qui semblait à la RECHERCHE de la même personne ! Il avait un appareil photo avec un téléobjectif, mais n'a pas pris le moindre CLICHÉ…

– Sur les traces de qui peuvent-ils bien être… s'interrogea Pam.

– J'ai peut-être deviné, confia Nicky. Il pourrait s'agir de la jeune FEMME qui était assise dans les rochers de la crique à mon arrivée ce matin, vous vous rappelez ? Celle qui a loué la villa LE NID DES ROUGES-GORGES…

# QUELLE DÉCEPTION !

Le lendemain matin, les Téa Sisters se rendirent à la salle de rédaction avec un carnet rempli de notes. Elles avaient rédigé la présentation de leur PROJET jusque tard dans la nuit et avaient hâte de la soumettre à leurs amis.
Dès qu'elles passèrent le seuil, Tanja les accueillit avec un SOURIRE joyeux.
– Vanilla a eu une idée fantasouristique ! s'exclama-t-elle. Un numéro spécial consacré au cours de madame Ratinsky !
Les Téa Sisters en restèrent **bouche bée**. Était-il possible que Vanilla ait eu exactement la même idée que Violet ?!
Tanja était emballée.

Vanilla a eu une idée fantasouristique !
Quoi ?!

– Ce dossier remportera un grand succès, j'en suis sûre ! Nous lui consacrerons toute la première page ! Qu'en pensez-vous ?

Violet laissa échapper un profond SOUPIR, puis se reprit :

– C'est une magnifique idée… et nous aimerions y participer, si Vanilla est d'accord.

Mieux valait coopérer, car, si EMBROUILLE il y avait, comme Violet le soupçonnait, elle n'avait hélas aucun moyen de le PROUVER.

Vanilla répondit :

– Mais bien sûr ! Nous trouverons bien quelque chose à vous confier. Interviewer des techniciens ou des figurants…

Les Téa Sisters échangèrent un **REGARD** de profonde déception.

HEUREUSEMENT, l'après-midi venu, les quatre amies retournèrent à la plage des Ânons, où elles retrouvèrent Nicky, toujours occupée à jouer les MAÎTRES-NAGEURS. Elles l'informèrent de la dernière trouvaille de Vanilla.

– Peu importe, les *filles*... relativisa-t-elle. Je suis sûre que nous parviendrons à travailler avec elle et que nous réaliserons un reportage FORMIDABLE ! Puis Nicky se remit à SCRUTER le rivage grâce à ses jumelles. Jetant de temps à autre un coup d'œil du côté du *Nid des rouges-gorges*, elle s'aperçut que l'ÉTRANGE touriste

de la veille et un type avec un appareil photo à téléobjectif rôdaient DISCRÈTEMENT autour de la maison.

– J'aimerais bien savoir ce que ces deux-là cherchent exactement, murmura-t-elle, méfiante. Une soudaine AGITATION ramena son attention vers la plage. Le choix des PARTICIPANTS pour la partie de volley se révélait plus épineux

L'ÉQUIPE DES PROFS !

que prévu. Le jour précédent, le match avait été si AMUSANT que désormais tout le monde voulait jouer !
Finalement, Craig réussit à FORMER deux équipes de six. Au début de la partie, les **ENSEIGNANTS** obtinrent un *NET* avantage grâce aux puissants smashs des professeurs Delétincelle et Van Kraken.

L'ÉQUIPE DES ÉTUDIANTS !

LE SMASH DU PROF DELÉTINCELLE

LA RÉCUPÉRATION DE SHEN

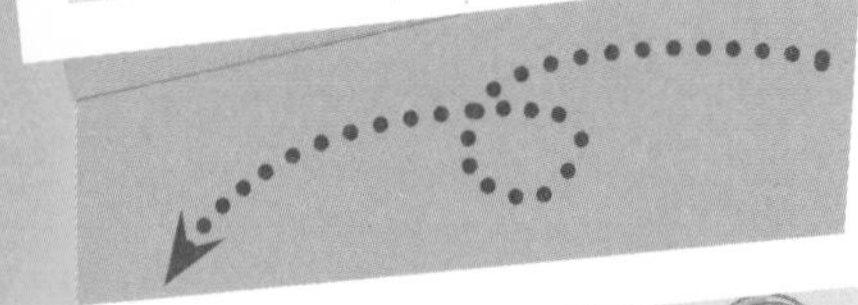

L'ATTAQUE DE SOURYA

LE COUP DE PIED DE CRAIG

Mais Pam se mit à **ENCOURAGER** ses coéquipiers :

– Qu'est-ce qui se passe, les enfants ? Nos **MOTEURS** sont grippés ou quoi ?! Allez, montrons aux profs qu'ils ne nous battront pas aussi FACILEMENT !

Les joueurs des deux équipes se donnèrent à fond, jusqu'à ce que… **Vlaaan !**

Craig, faute de réussir à parer une attaque, décocha un **VIGOUREUX** coup de pied dans le ballon pour éviter qu'il touche terre et l'expédia très loin du terrain.

Le ballon disparut derrière les rochers et l'on entendit aussitôt après :

– **Aïe !**

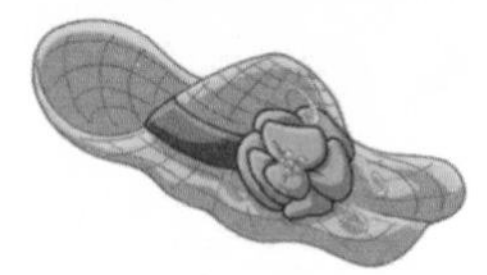

# DRÔLE DE DAME !

Le professeur Delétincelle courut voir qui avait été touché. Nicky, depuis son perchoir, braqua ses **jumelles** sur la personne vers laquelle il se dirigeait, et…

– Le ballon a percuté la MYSTÉRIEUSE étrangère ! s'exclama-t-elle. L'impact avait fait voler le chapeau de celle-ci, permettant à Nicky de découvrir son **VISAGE**.

« Une minute, ne serait-ce pas quelqu'un de connu ? J'ai l'impression de l'avoir déjà vue quelque part… » se dit la jeune fille sans que sa mémoire s'éclaircisse.

La **réaction** de la vacancière fut pour le moins insolite. Elle commença par pester d'avoir été **touchée**, mais, quand elle vit arriver l'enseignant, elle se hâta de caler son chapeau sur sa tête et s'éloigna d'un pas vif.

Monsieur Delétincelle, navré et déconcerté, s'en **RETOURNA** avec le ballon.

Nicky, quant à elle, continua à *SUIVRE* des yeux l'étonnante estivante, qui, pressée de s'ESQUIVER, s'était engagée sur un sentier condamné.

INQUIÈTE, elle finit par interpeller ses amies toutes proches :
– Colette ! Vivi ! Rattrapez cette jeune femme : il faut la prévenir que le bout du chemin s'est **ÉBOULÉ** !
Ses amies saisirent immédiatement la gravité de la situation et se précipitèrent vers les rochers en AGITANT les bras et en s'époumonant :

– OUH OUH ! VOUS NOUS ENTENDEZ ?! FAITES DEMI-TOUR !
– C'EST DANGEREUX PAR LÀ ! STOP !

Mais l'inconnue continuait à gravir la petite côte, jusqu'à arriver au point le plus périlleux !
– Laissez-moi tranquille, s'exclama-t-elle, exaspérée. Je ne veux parler à personne ! Je ne donne pas d'interv... AAAAH !
Sa phrase se termina par un cri !

L'ÉTRANGE visiteuse avait glissé dans le vide. Elle s'était heureusement rattrapée à la branche d'un buisson, mais ne trouvait aucun APPUI où poser ses pieds. Au-dessous d'elle s'étendait la mer, semée de menaçants récifs.

À L'AIIIIIIIDE !

# LES SECOURS ARRIVENT !

Violet et Colette **VOLÈRENT** immédiatement au secours de la mystérieuse inconnue, et tentèrent de la *RETENIR* par les bras. Les filles saisirent ses poignets au cas où elle lâche prise, mais elles n'étaient pas assez **fortes** pour la remonter.

– **AU SECOOOOOOOOOOOURS !**

s'égosillait la malheureuse. J'ai le vertige !

– Essayez de ne pas vous **AGITER** et ne regardez pas en bas ! lui recommanda Violet. Du renfort va arriver.

Et, en effet, quelqu'un se précipitait déjà auprès d'elles : Nicky.
À l'aide de ses jumelles, la jeune secouriste avait continué de **SUIVRE** la course-poursuite de ses amies avec l'étrangère, et elle avait assisté à l'**ACCIDENT**. Sans perdre un instant, elle s'était précipitée jusqu'à la cabane au

MATÉRIEL, dont elle vérifiait régulièrement l'équipement et l'aménagement, et y avait pris deux longues CORDES particulièrement résistantes, deux harnais et quelques mousquetons.

Ainsi pourvue, elle s'était ÉLANCÉE le long du raccourci qui traversait la forêt et avait pu rejoindre ses amies en un temps record.

– Tenez bon, les filles ! Je n'en ai pas pour longtemps ! prévint-elle tout en cherchant des SAILLIES auxquelles attacher les cordes.

En alpiniste avertie, Nicky fit des NOEUDS parfaitement sûrs, puis se laissa descendre le long de la falaise, atteignant l'imprudente vacancière en un rien de temps.

– Maintenant, je vais vous mettre le harnais, expliqua-t-elle calmement à la jeune femme suspendue dans le vide. Après ça, vous remonter sera un vrai jeu d'enfant, vous verrez !

L'INSOLITE estivante était incapable de dire un mot : contemplant la mer sous ses pieds ballants, elle TREMBLAIT comme une feuille. Si Violet et Colette l'avaient lâchée, elle serait certainement tombée à l'EAU !

À ce moment arrivèrent aussi Paulina et Paméla, qui, INTRIGUÉES de voir Nicky s'éloigner avec des cordages, avaient interrompu leur partie de volley pour suivre leur amie.

Nicky leur lança la corde attachée au harnais de la jeune femme et les quatre Téa Sisters restées en haut de la falaise se mirent à TIRER de toutes leurs forces.

– Courage, soeurettes ! les exhorta Pam. Du nerf !

ENCORE UN PETIT EFFORT !

COURAGE, LES FILLES !

Peu après, la touriste en détresse posait de nouveau les PIEDS par terre !

– M-merci… murmura-t-elle en reprenant son souffle. Vous m'avez sauvé la vie ! Je ne sais pas comment j'aurais fait sans votre aide, je…

Violet la fixa un instant…

– Vous… vous êtes Rébecca Sabo ! La fameuse rédactrice en chef de **MULOGUE**, le plus prestigieux magazine de mode qui ait jamais existé ! s'exclama-t-elle, radieuse.

Nicky se frappa le front.

– Mais bien sûr ! Voilà où je vous ai **VUE** : dans l'éditorial du dernier numéro de la revue !

Rébecca Sabo s'écria, soudain très embarrassée :

– Mais alors… vous n'étiez pas en train de me poursuivre ! Vous n'êtes pas des journalistes !

– On espère bien le devenir !

Mais pour le moment nous ne sommes encore qu'étudiantes au collège de Raxford ! déclara Paulina.

Colette demanda avec un SOURIRE :

– Vous nous avez prises pour des paparazzis à la recherche de scoops ? Et c'est pour ça que vous nous avez fuies ?!?

# VIP EN CAVALE !

Rébecca Sabo réajusta ses lunettes de soleil et se mit à respirer plus calmement. Sa **MÉSAVENTURE** était finie et cinq jeunes filles la regardaient, **ÉBERLUÉES**.

– J'ai vraiment dû vous sembler bizarre ! commença-t-elle. Mais, voyez-vous, plus j'essaie de **FUIR** les journalistes, plus ils deviennent envahissants !

La célèbre rédactrice en chef secoua la tête.

– Quand je vous ai **VUES**, j'ai craint qu'on ne m'ait retrouvée !

J'ai mis tant de temps à dénicher le petit coin PAISIBLE et peu fréquenté où je me suis réfugiée...
– Malheureusement, le secret en est éventé ! lui annonça Nicky. Hier, deux ÉTRANGES individus ont posé un tas de questions, et aujourd'hui, je les ai vus tourner AUTOUR du *Nid des rouges-gorges* !
– Oh non, comment ont-ils pu me repérer ? gémit Rébecca Sabo.
Paméla les interrompit :
– Attendez ! Je propose de poursuivre cette conversation à l'OMBRE et avec une boisson fraîche !
Le petit groupe se dirigea alors vers une minuscule CALANQUE à l'écart. Mais Nicky dut les quitter pour reprendre son activité de surveillance de la plage.
– Je regarderai régulièrement du côté de la villa

avec mes jumelles... promit-elle. Et si je vois des personnes SUSPECTES dans les environs, je vous avertirai !

Assise au frais avec un jus de pamplemousse GLACÉ à la main, Rébecca Sabo raconta son problème aux Téa Sisters :

– Vous savez, DIRIGER une revue de mode représente un défi incroyable, confia-t-elle. Il faut se maintenir à l'*avant-garde* de la mode, coordonner le travail de l'ensemble des journalistes, sélectionner les meilleurs ARTICLES, choisir les photos les plus réussies... Et ça ne s'arrête pas là ! Vu l'énorme succès du magazine, on ne cesse de me demander de faire des déclarations, de donner des CONSEILS, ou des INTERVIEWS... Mon rythme de vie est devenu si FRÉNÉTIQUE que je n'arrive plus à préserver un peu de temps pour moi et pour développer la partie de mon travail qui

J'ÉTAIS FATIGUÉE
DE CETTE VIE-LÀ !

me plaît le plus : identifier les toutes dernières TENDANCES de la création et les montrer au public.
Violet acquiesça, compatissante :
– Le SUCCÈS ne nous emmène pas toujours là où nous voulons…
– Dernièrement, j'ai très mal vécu tout cela, poursuivit la rédactrice en chef. Des **PAPARAZZIS** me poursuivaient sans répit et je n'arrivais plus à me concentrer !
Rébecca Sabo se tut pour finir sa boisson, puis reprit :
– C'est ainsi qu'il y a quelques semaines j'ai décidé de prendre du champ en me RÉFUGIANT dans un endroit calme et isolé. Quand j'ai trouvé la villa des *Rouges-Gorges*, elle m'a paru PARFAITE ! Sans y réfléchir à deux fois, j'ai fait mes bagages et je suis venue ici. Dès que j'ai mis le pied sur l'île des Baleines, son atmo-

sphère intime et ACCUEILLANTE m'a immédiatement revigorée, et il m'est venu diverses idées pour la revue !
Colette, dont les yeux BRILLAIENT, demanda d'un ton rêveur :
– Ah, vous avez trouvé de l'inspiration pour de nouveaux articles de mode ?
Rébecca Sabo répondit en SOURIANT :
– Oui, avec toutes ces couleurs et cette vie, je devrais pouvoir concevoir d'intéressants projets…
Soudain son visage s'assombrit et prit une EXPRESSION tendue.
– Cependant… j'ai besoin de SOLITUDE et de tranquillité pour pouvoir travailler ! Si l'on ne cesse de m'ASSAILLIR, je n'y arriverai jamais !

# ACCUEIL INCOGNITO !

Paulina se leva et déclara d'un air résolu :
– Sur cette île, il n'y a qu'un endroit où vous pourrez avoir la paix… au collège de RAXFORD !
– Un collège ? demanda la rédactrice en chef, surprise.
– Paulina a raison ! soutint Pam. Notre recteur ne permettrait jamais à des chasseurs de SCOOPS d'y entrer.
Colette avait bondi sur ses pieds, prête à agir.
– Il faut lui parler dès maintenant !
Les Téa Sisters avaient pris en main la situation et Rébecca, ÉTONNÉE et soulagée, les suivit volontiers.

Comme les quatre amies l'avaient prédit, Octave Encyclopédique de Ratis accepta avec **ENTHOUSIASME** d'héberger la célèbre rédactrice en chef de **MULOGUE**.

– Je comprends votre besoin de travailler à l'écart et en toute quiétude, commenta-t-il d'un ton **PRÉVENANT**. Ici, personne ne vous dérangera !

Sur ces mots, il prit congé pour lui faire préparer une chambre *tranquille*.

Cependant, l'arrivée de la nouvelle hôte accompagnée des Téa Sisters n'était pas tout à fait passée INAPERÇUE...
Vanilla, à qui n'échappait aucun des faits et GESTES de ses rivales, avait surpris celles-ci en train de se diriger vers le bureau du recteur en compagnie d'une inconnue. L'air DÉGAGÉ, elle s'était postée tout près de la porte entrouverte et avait entendu Pam demander un *autographe*.
« Un autographe ?! avait songé Vanilla. C'est donc une CÉLÉBRITÉ ! »
Elle avait alors réagi de manière rapide et immédiate... exactement comme un journaliste à l'affût de cancans, en PHOTOGRAPHIANT la visiteuse avec son téléphone portable. Puis, elle avait envoyé le fichier du cliché à Alan, le très EFFICACE secrétaire que sa mère avait mis à son service, pour qu'il découvre l'identité de la nouvelle venue.

La réponse arriva peu après, accompagnée de RENSEIGNEMENTS des plus intéressants !

« Il s'agit de Rébecca Sabo, la célèbre rédactrice en chef du magazine de mode **MULOGUE**... lut Vanilla. Il paraîtrait qu'actuellement elle glane des idées pour un nouveau **projet** destiné à la revue, mais personne ne sait de quoi il retourne. »

À ce moment, la porte du bureau s'ouvrit et Vanilla, qui s'était éloignée, vit les Téa Sisters sortir avec Rébecca Sabo, bientôt rejointe par le recteur.

« L'OCCASION est trop belle ! pensa Vanilla. Je pourrais l'interviewer et essayer de la convaincre de faire la promotion des très SÉLECTS produits de la marque De Vissen, dans sa revue… Et en plus, je pourrais me proposer comme MODÈLE pour une séance de photos… Il faut absolument que je m'en occupe ! » conclut-elle avec un petit SOURIRE.

# LE PLAN DE PAM...

Après que le recteur lui eut accordé l'hospitalité, Rébecca Sabo se sentit RENAÎTRE. À la veille des examens, le collège semblait l'endroit idéal pour rassembler ses esprits : des salles **vastes** et silencieuses, une riche bibliothèque, et surtout, le calme absolu !

Pour travailler, elle avait toutefois besoin de son **ORDINATEUR**. Mais comment le récupérer sans se faire intercepter par les deux **fouineurs** stationnés près du *Nid des rouges-gorges* ?

Rébecca ne savait pas encore qu'elle pouvait compter sur une équipe de super-complices, qui, une fois alertées, s'empres-

sèrent de l'aider ! Depuis la plage, Nicky appela ses amies pour les informer de la situation sur place. En observant la villa avec ses jumelles, la jeune fille confirma la présence des deux journalistes qui attendaient le retour de leur illustre consœur, cachés derrière un buisson.
Du collège, les Téa Sisters ÉLABORÈRENT alors un plan. Elles accompagneraient Rébecca à sa maison de location dans le QUATRE-QUATRE de Pam. Celle-ci et Paulina occuperaient les paparazzis, pendant que les deux autres Téa Sisters et Rébecca pénétreraient DISCRÈTEMENT à l'intérieur pour prendre tout ce qu'il lui fallait.
Bientôt toute la compagnie se retrouva pour le départ.
– En route ! claironna Pam en **PASSANT** la première vitesse.
Peu avant d'arriver à la villa, elle freina et,

comme convenu, fit descendre trois de ses passagères. Puis elle REPARTIT et s'arrêta devant le portail de la maison, non loin des arbustes près desquels se tenaient les deux journalistes. Descendant de la voiture, elle les interpella :

– Dites, est-ce que l'un de vous pourrait nous indiquer la route ?

Et Paulina d'ajouter en dépliant une carte sous le nez des guetteurs :

– On s'est perdues ! Pouvez-vous nous dire où on est ?

En un instant, Rébecca, Violet et Colette ENTRÈRENT et RESSORTIRENT sans que les deux faux vacanciers s'aperçoivent de rien !

ON S'EST PERDUES...

# ... ET CELUI DE VANILLA !

Une demi-heure plus tard, Rébecca Sabo et les cinq Téa Sisters rentrèrent au collège.

– Ha, ha, ha ! Je ne me suis pas amusée comme ça depuis longtemps !

s'exclama la directrice de *Mulogue*, en essuyant les LARMES qui mouillaient encore ses yeux d'avoir tant ri.

Lorsque le petit groupe se retrouva sur le seuil de la chambre qui lui avait été attribuée, une **SURPRISE** les attendait. Rébecca n'eut pas le temps de poser la main sur la poignée de la porte que déjà celle-ci s'OUVRAIT, laissant apparaître Vanilla !

– Bienvenue ! dit-elle en prenant Rébecca par le bras.
Puis, se retournant d'un geste **VIF** vers les Téa Sisters, elle déclara :
– Vous pouvez y aller, les filles... C'est moi qui montrerai ses appartements à notre **HÔTE** !
Les cinq amies en restèrent sans voix.
– **Waouh !** s'écria ensuite Pam en jetant un coup d'œil à l'intérieur de la pièce. Je ne savais

pas que les chambres réservées aux visiteurs étaient aussi luxueuses !

– En fait, elles ne le sont pas. Je me suis PERMIS d'améliorer l'aménagement de celle-ci pour la rendre plus confortable ! plastronna Vanilla.

On y découvrait en effet un large lit à baldaquin, de lourds rideaux de velours habillant les fenêtres, ainsi qu'une immense table en BOIS sur laquelle TRÔNAIT une grande corbeille de fruits frais. Enfin d'énormes compositions florales aux couleurs éclatantes embaumaient l'air comme à l'intérieur d'une serre.

Vanilla invita Rébecca Sabo à prendre ses aises et s'empressa de claquer la porte au nez des Téa Sisters, qui se trouvèrent reléguées dans le COULOIR. La célèbre invitée, épuisée après cette journée riche en aventures, se laissa tomber dans un fauteuil.

M-MAIS...
ÇA VOUS PLAÎT ?

Demeurée en tête à tête avec Rébecca, Vanilla saisit un gros sac qui gisait par terre, et, après s'être assise à côté de celle-ci, l'ouvrit.
Il regorgeait de crèmes, de SHAMPOINGS, de PARFUMS et d'articles de MAQUILLAGE divers… portant tous la marque De Vissen !
– Ces produits sont les meilleurs qu'on trouve sur le marché ! affirma la jeune fille.
Puis, se saisissant d'un flacon ROSE, elle proposa :
– Sentez un peu la fragrance de fraise de cet après-shampoing… N'est-ce pas DÉLICIEUX ? Un baume de ce genre ne peut évidemment pas manquer d'être mentionné dans votre revue !
À la vue de tous ces flacons, Rébecca Sabo, à bout de PATIENCE, se leva.
– Merci, Vanilla ! J'apprécie ton accueil, mais je suis fatiguée et j'aimerais me REPOSER ! se hâta-t-elle de dire en glissant son bras sous celui de Vanilla pour la raccompagner.

– M-mais, je n'ai pas fini... Regardez cela ! tenta encore la jeune fille en extrayant de sa besace un portfolio avec quelques clichés d'elle. Vous voyez, je pourrais servir de mannequin pour une série de PHOTOS à paraître dans la revue... Qu'en dites-vous ?

Mais Rébecca Sabo, l'ayant reconduite à la porte, la poussa délicatement dehors et referma.

Avant d'avoir compris ce qui lui arrivait, Vanilla fut ainsi à son tour refoulée dans le couloir du COLLÈGE.

« Je n'ai pas dit mon dernier mot ! On se retrouvera demain, tu peux y compter ! » PESTA-t-elle à voix basse. Puis d'ajouter en ricanant : « Malheureusement, les Téa Sisters ne pourront peut-être pas se joindre à nous... »

Le lendemain MATIN, une avalanche d'occupations s'abattit sur les cinq amies, qui les accapara durant tout le jour !

Paulina, qui était chargée de la MAQUETTE et de la mise en page du journal du collège, fut clouée à son ORDINATEUR jusqu'au soir...

En effet, Vanilla, en tant que rédactrice en chef du numéro SPÉCIAL, trouvait encore et toujours quelque chose à redire à son travail et le lui fit RECOMMENCER une centaine de fois !

Violet et Pam, elles, furent BLOQUÉES par Alicia dès la fin du petit déjeuner.



– Bonjour, les filles ! les salua-t-elle. L'INTERVIEW pour le dossier de Vanilla est-elle prête ?

– Quelle interview ? fit Paméla. De quoi parles-tu ? Nous ne sommes pas au courant !
Feignant d'avoir l'air AFFOLÉ, Alicia répondit :
– Je parle de celle des professeurs Sourya et Plié, bien sûr ! Ne me dites pas qu'on ne vous a pas PRÉVENUES ! Vous devez absolument les voir avant qu'elles quittent le collège pour leur stage de deux mois !
Violet s'efforça de rester CALME.

– Et quand partent-elles ?
– Dans trois heures ! lâcha Alicia. Il n'y a pas une minute à perdre ! Allez les trouver immédiatement !
Quant à Colette, Connie la retint à la biblio-thèque pendant toute la journée, invoquant un PRÉTEXTE après l'autre,

tandis que Zoé réclamait l'aide de Nicky pour remettre de l'ordre dans les **DOCUMENTAIRES** audiovisuels du professeur Van Kraken sur la vie marine.

C'est ainsi que les Téa Sisters furent neutralisées grâce aux mille et un **STRATAGÈMES** imaginés par Vanilla pour qu'elles n'approchent pas Rébecca Sabo !

# BON APPÉTIT !

Une fois réglé le problème des Téa Sisters, Vanilla put consacrer toute sa matinée à Rébecca Sabo.

La rédactrice en chef, qui pensait avoir enfin trouvé le calme, dut subir les irruptions répétées de Vanilla, sous les prétextes les plus EXTRAVAGANTS...

En fait, la jeune fille avait passé la nuit à surfer sur Internet pour trouver des informations sur leur hôte renommée. Si Vanilla découvrait ses points faibles, raisonnait-elle, elle pourrait en user pour la convaincre de lui accorder un PAPIER dans sa revue...

« Rébecca Sabo adore le CHOCOLAT ! »

révélait un portrait de la journaliste de **MULOGUE**. Et Vanilla de frapper à sa porte avec un énorme assortiment de **DÉLICIEUSES** bouchées !

– Un maître-pâtissier très très connu les prépare uniquement pour moi ! se vanta-t-elle.

« Rébecca Sabo raffole du **GOLF** ! » précisait un autre article… Et Vanilla de se précipiter à sa porte en tenue de PARFAITE golfeuse pour l'inviter à tester les terrains de l'île des Baleines…

Bref, à peine Rébecca reprenait-elle le fil de sa **paisible**

méditation sur les moyens de développer sa revue que Vanilla revenait avec une nouvelle IDÉE.

À la fin, ce fut la jeune fille elle-même qui lui fournit une... SUCCULENTE occasion de se débarrasser d'elle !

Comme Rébecca était aussi un fin gourmet, Vanilla, aussi ponctuelle qu'une horloge, se présenta à midi en compagnie du CHEF français qui cuisinait pour sa mère, Jean Ratiste.

Derrière lui venait un cortège de serveurs poussant des chariots couverts de plats dignes d'un restaurant cinq étoiles !

Comme on pouvait le prévoir, Vanilla avait organisé un savoureux DÉJEUNER pour la célèbre invitée du collège.

« Il est bien connu que les échanges les plus CONCLUANTS se font autour d'un bon repas ! » songea la jeune fille.

Et en effet la conversation à TABLE fut du plus grand intérêt, mais bien différente de ce qu'**espérait** Vanilla !
Rébecca posa une question au cuisinier, puis continua à PARLER casseroles avec lui pendant tout le service, ignorant complètement la jeune fille !

Quand elle sortit de la pièce, Vanilla **ful-minait** !

– Grrrr ! J'enrage ! siffla-t-elle entre ses dents. Je n'ai même pas pu lui montrer mes **PHOTOS** !

Mais Vanilla n'allait certainement pas capituler aussi rapidement...

# GUET-APENS !

Même au cours des jours suivants, les Téa Sisters, absorbées par leurs études et le BOUCLAGE du journal du collège, ne purent voir Rébecca Sabo qu'en coup de VENT.

Après une semaine de travail intensif, elles réussirent toutefois à s'accorder une pause et allèrent FRAPPER à sa porte.

– Est-ce que ça vous plairait de visiter l'observatoire astronomique ? lui demanda Violet. On peut s'y rendre à pied en suivant un sentier panoramique qui longe la forêt. De là, on voit l'ensemble de l'île !

– **Fantastique !** répondit la journaliste

en éteignant son ordinateur et en attrapant l'un de ses grands chapeaux de paille. J'ai bien BESOIN de faire quelques pas !

Vanilla, qui se trouvait dans les parages, entendit tout. Pendant que le petit groupe sortait, la jeune fille se précipita sur son TÉLÉPHONE.

Pour arriver à l'observatoire, il fallait en réalité bien plus de « quelques pas », mais la vue qu'offrait la promenade le long de la petite côte y menant en valait la **PEINE** !

Sur le chemin, Rébecca s'arrêtait à tous les endroits offrant de beaux points de vue et s'exclamait, admirative :

– Regardez ces paysages ! Et ces couleurs !

Lorsqu'elles atteignirent le pic du Faucon, le soleil était en train de se COUCHER. Dès qu'elles eurent laissé la forêt derrière elles et emprunté une voie asphaltée, Paméla désigna le DÔME qui se dressait face à elles et annonça :

– Voici l'observatoire !

Mais avant qu'elles aient eu le temps de réagir…

Trois paparazzis, surgies des broussailles environnantes, MITRAILLÈRENT Rébecca et les Téa Sisters avec leurs appareils photos aux flashs aveuglants. Puis elles bombardèrent de questions la malheureuse rédactrice en chef :

– Pourquoi une journaliste aussi CÉLÈBRE que vous se cache au collège de Raxford ?

– Est-il vrai que vous voulez abandonner la revue ?

Cette soudaine AGRESSION prit à l'improviste Rébecca Sabo, qui se tourna vers les Téa Sisters pour leur demander de l'aide, mais… VROUUUUM !

DES PAPARAZZIS... ICI ?!?

Une voiture s'arrêta juste devant elle et la porte côté passager s'OUVRIT.
– Montez vite ! l'exhorta Vanilla, qui était apparue providentiellement au volant de son coupé.
Rébecca s'engouffra dedans sans réfléchir, et le cabriolet s'ÉLANÇA vers la route sinueuse qui descendait jusqu'à la côte. Juste derrière lui roulait le véhicule ROSE des mystérieuses paparazzis...

# FÊTE SURPRISE ¡

En un clin d'œil, les Téa Sisters se retrouvèrent donc seules !

– Par mille bielles **EMBIELLÉES** ! jura Paméla.

Paulina secoua la tête, dépitée.

– Un traquenard monté par les paparazzis… soupira-t-elle.

– Certes, mais comment ont-ils pu savoir que nous viendrions ici ?!? s'étonna Colette.

– Je n'ai pas eu le temps de les regarder de près, mais l'une des voix… m'a rappelé celle d'Alicia ! **HASARDA** Violet.

Et elle ne s'était pas trompée !

Après avoir eu vent des projets des Téa Sisters, Vanilla avait appelé ses AMIES, qui s'étaient déguisées en journalistes en quête de SCOOPS ! Puis, Vanilla était entrée en scène pour soustraire juste à temps Rébecca à ses « assaillantes ».

Dans la voiture, Rébecca s'INQUIÉTA :

– Et les Téa Sisters ? Nous devons retourner les prendre !

Mais Vanilla lui répondit tranquillement :

– Elles sauront parfaitement se débrouiller toutes seules ! Efforçons-nous plutôt de SEMER les individus qui nous poursuivent…

Arrivée à un carrefour, elle ne prit pas la route qui conduisait au collège, mais celle allant vers la MER.

Non loin du rivage se profilait la silhouette du yacht de Vissia de Vissen, que Vanilla s'empressa d'approcher.

– Montons à bord ! Ici, ils ne pourront pas nous suivre ! Ma mère sera très HEUREUSE de vous accueillir ! C'est l'une de vos ferventes admiratrices ! argumenta Vanilla.

Le grand bateau, plongé dans l'OBSCURITÉ, apparut à Rébecca Sabo comme une planche de salut.

Elle s'y laissa conduire, mais… dès qu'elle eut mis le pied sur le pont, toutes les lumières s'allumèrent et un tonnerre d'applaudissements l'accueillit !

CLAP CLAP CLAP CLAP !
CLAP CLAP CLAP CLAP !

Vissia de Vissen vint à leur rencontre, les bras ouverts, et déclara :

Hein ?!
Bienvenue !

– BIENVENUE à bord de mon yacht ! Vous serez l'invitée d'honneur de notre FÊTE surprise !

Mais, encore une fois, Vanilla avait mal fait ses calculs. Elle pensait IMPRESSIONNER la rédactrice en chef de Mulogue avec cette réception improvisée en son honneur... Or Rébecca ne supportait plus tout ce harcèlement, et, dès qu'elle le put, elle quitta la compagnie pour retrouver sa paisible chambre du collège !

Vanilla écumait.

– Quelle ingrate ! marmonna-t-elle rageusement. Je l'ai comblée d'attentions et... elle ne m'a même pas prêté attention !

# UNE DE VISSEN N'ABANDONNE JAMAIS !

Le lendemain, lassée de toutes ces interventions inopportunes, Rébecca Sabo croisa les Téa Sisters à la bibliothèque et leur proposa une relaxante sortie à la mer.

– J'ai besoin d'AIR ! leur dit-elle. Que diriez-vous d'un après-midi à la PLAGE des Ânons ?

– Fantasouristique ! Allons-y ! s'exclamèrent joyeusement les cinq amies.

Vanilla, qui rôdait aux abords de la chambre de Rébecca, l'avait suivie DISCRÈTEMENT. Avertie de ses projets, elle mijota

un nouveau plan pour obtenir une INTER-VIEW exclusive de la journaliste. Comme disait sa mère : « Une de Vissen n'abandonne jamais ! »

– Parfait ! Aujourd'hui, Rébecca Sabo devra CHOISIR entre une meute de chasseurs de scoops professionnels et… MOI ! murmura-t-elle tout bas.

# FUITE EN HAUTE MER !

Ce dimanche après-midi, les nuages sillonnaient le ciel à grande VITESSE, comme l'observait anxieusement Nicky.

– Ne vous ÉLOIGNEZ pas trop du bord ! conseillait-elle à tous ceux qui voulaient aller dans l'EAU. Le temps pourrait subitement se gâter !

Mais à vrai dire, les candidats à la baignade étaient PEU nombreux. La majorité préférait rester au SEC et participer à quelque amusant jeu de plage.

Rébecca Sabo s'était installée à l'écart, sous une PAILLOTE qui la protégeait des regards indiscrets. Ou du moins le croyait-elle jusqu'à ce qu'elle entende un brouhaha de plus en plus proche !

– LA VOILÀ ! – C'EST ELLE !

– C'EST RÉBECCA SABO !

– ELLE EST LÀ ! – CETTE FOIS, ELLE NE NOUS ÉCHAPPERA PAS !

Il y avait au moins une dizaine de journalistes et de PHOTOGRAPHES !

– Mais d'où sortent-ils tous ?! cria Colette en courant vers la rédactrice en chef, qui ne savait plus de quel côté se tourner.

– Quelqu'un a dû les prévenir ! répliqua Pam. Il faut emmener Rébecca loin d'ici ! Je vais cher-

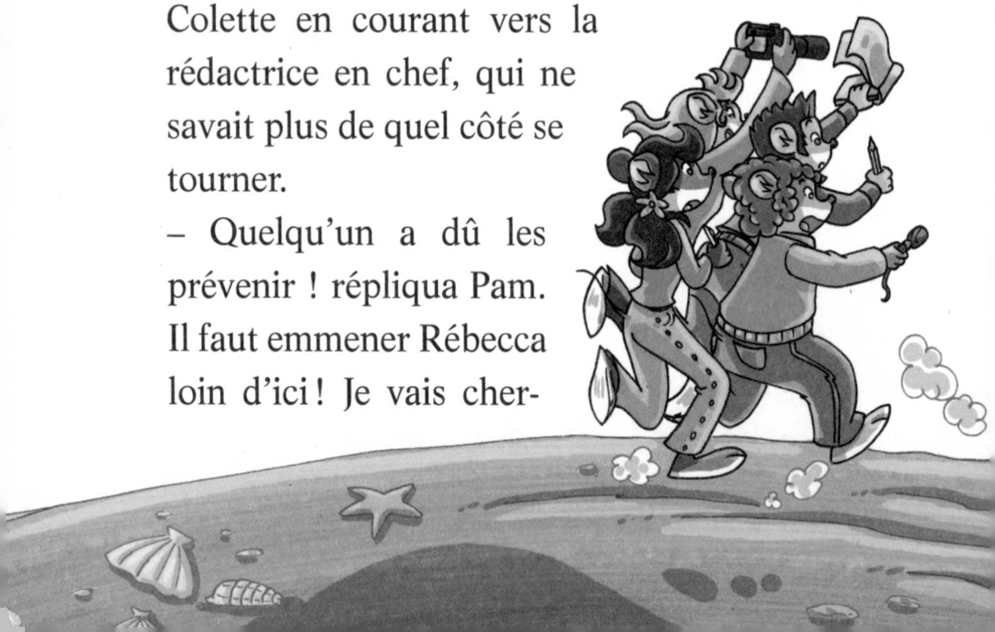

cher mon **QUATRE-QUATRE** !
Entre-temps, la jeune femme cherchait de quel côté elle et ses amies pourraient bien **FAUSSER** compagnie à ses poursuivants…
– Madame Sabo ! Madame Sabo ! **PAR ICI !** entendit-elle soudain.
Se retournant, elle découvrit Vanilla, accompagnée d'un jeune homme musclé, qui l'invitaient à les rejoindre sur leur **pédalo**.
– Oh non, pas encore elle ! soupira Rébecca.
Mais à cet instant, **FUIR** par la mer lui sembla la seule

solution et elle SAUTA furtivement à bord.
– Faites-moi confiance ! dit Vanilla pour l'amadouer. Avec Rattold aux pédales, ils ne nous rattraperont jamais !
Et, en effet, la petite embarcation fila à toute allure, semant AUSSITÔT les importuns.
Comme les paparazzis n'avaient pas compris où était passée Rébecca, les Téa Sisters en profitèrent pour les éloigner en organisant une petite **DIVERSION**.
Paulina coiffa le chapeau que la journaliste, dans sa hâte, avait abandonné sur la PLAGE et bondit dans le quatre-quatre de Pam, pendant que Colette HURLAIT, en la montrant du doigt :
– Elle est là ! Rébecca Sabo s'en va dans cette voiture !
N'ayant pas le temps d'y réfléchir à deux fois, les paparazzis TOMBÈRENT dans le piège et

s'élancèrent à la poursuite de la fausse Rébecca. Nicky tenta, quant à elle, d'informer les fugitifs embarqués sur le pédalo que tout DANGER était écarté, mais ils étaient désormais trop loin. Elle braqua ses jumelles sur le pédalo et tressaillit.

– Mais où vont-ils ? Le courant est trop fort… et ils ne portent même pas de GILET de sauvetage !

Elle souffla dans son SIFFLET aussi fort qu'elle le put, mais le frêle esquif se retrouva rapidement au large, vers lequel progressait un front de nuages noirs, compact et MENAÇANT.

# À LA MERCI DES FLOTS

Au large, la mer devint de plus en plus agitée et les vagues commencèrent à BALLOTTER le pédalo de tous les côtés. Bien que Rattold pédalât frénétiquement, ils avançaient à peine, à présent.

– Secoue-toi ! Il faut qu'on bouge ! hurla Vanilla.

Le malheureux garçon faisait de son mieux, quand…

CRAC !

Le gouvernail céda et la modeste embarcation se retrouva à la merci du courant !

– INCAPAAABLE ! brailla Vanilla.

Rébecca Sabo l'arrêta net :

– Il ne faut pas perdre la tête ! Enfilons tout de suite les GILETS de sauvetage ! Ils devraient être ici !

Rattold tendit le bras en arrière pour ouvrir le compartiment de rangement, mais, juste à ce moment, une LAME s'abattit sur eux.

SPLAAAASHHH !!!
SPLAAAASHHH !!!

Lorsque le pédalo refit surface, les gilets de sauvetage flottaient parmi les vagues, définitivement hors de PORTÉE.
Soudain, Rattold, l'air épouvanté, se cramponna à un bord.
– JE NE SAIS PAS NAGER ! s'écria-t-il.
Entre-temps, Nicky n'était HEUREUSEMENT pas restée les bras croisés ! Avec l'aide du professeur Delétincelle, elle avait mis à l'eau

un canot de sauvetage et demandé à Colette et Violet d'appeler d'urgence les garde-côtes.
Violet se chargea aussi de retrouver Pam et Paulina, qui, en s'engageant sur les petites routes côtières uniquement praticables par des véhicules tout-terrains, avaient semé les PAPARAZZIS.
Accompagnée de Delétincelle, Nicky prit la MER, et, pendant que tous deux ramaient énergiquement, elle lui exposa son plan :
– Lorsque nous serons assez près, nous STABILISERONS le pédalo pour éviter qu'il ne se retourne et nous attendrons les secours !
Avec la houle, s'ARRIMER à l'embarcation en détresse ne fut cependant pas une mince affaire. Mais Nicky, aussi adroite qu'un cow-boy, finit par attraper le pédalo au LASSO comme s'il s'était agi d'un cheval emballé !

VOICI UN GILET !

Ne vous agitez pas.
Vous serez bientôt en sécurité !
À l'aiiiiiide !

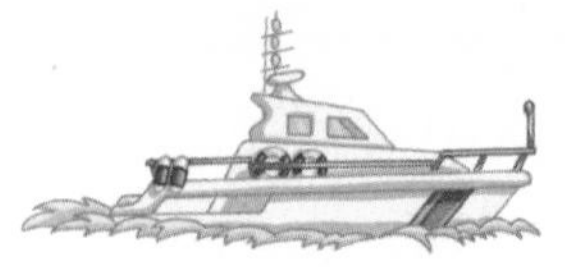

# Une interview exclusive

Les journalistes et les photographes avaient fini par retrouver le chemin de la plage et suivaient avec attention les manœuvres de la vedette des garde-côtes.

Les PHOTOS de la rédactrice en chef de *Mulogue* sauvée du naufrage allaient faire le tour du monde. Quel SCOOP !

Quand le navire accosta, tous les appareils photos crépitèrent en chœur.

Cliqueti-clic ! Clic !

Cliqueti-clic ! Clic !

La première à emprunter la cale fut Vanilla,

aussitôt immortalisée avec les cheveux dégoulinants et l'air DÉCONFIT. Morte de honte, elle courut se réfugier dans sa **CHAMBRE** !

Puis descendit Rattold, tout penaud, ouvrant la voie à la dernière rescapée. Mais, à la place de la CÉLÈBRE journaliste, apparut… Nicky !

En effet, à l'arrivée des secours, Rébecca Sabo, qui n'avait aucune envie de se livrer à des PAPARAZZIS sans scrupules, avait demandé à Nicky de prendre sa place. Une fois la jeune fille **ENVELOPPÉE** dans une couverture, il faudrait un certain temps pour s'apercevoir du CHANGEMENT ! Et Rébecca avait regagné l'île sur le pédalo, avec le professeur Delétincelle.

ARGH !

C'est ainsi que la rédactrice en chef de *Mulogue* put tout de même profiter de quelques heures de détente en bonne compagnie, comme elle en

rêvait. En effet, Paulina, Violet, Pam et Colette l'accueillirent dans une charmante calanque avec des SERVIETTES, des vêtements secs et un thermos de jus d'orange frais.
Bien à l'abri, revigorée et entourée de ses nouvelles amies, la journaliste prit une décision :
– J'arrête de fuir ! Je vais donner une interview pour que les chasseurs de scoops cessent de me PERSÉCUTER !
– Dans le cadre d'une conférence de presse ? demanda Violet.
– Non, il s'agira d'une interview EXCLUSIVE, que je n'accorderai qu'à vous ! Vous la publierez dans votre journal, et vous verrez... il se vendra comme des petits pains ! J'en profiterai pour vous donner quelques conseils, qui vous permettront de devenir de vraies JOURNALISTES... Pas de sombres paparazzis toujours en quête de ragots sur des gens célèbres !

Et il en fut ainsi. Le numéro spécial du journal du collège publiant l'entretien des Téa Sisters avec leur nouvelle **protectrice** eut un énorme succès !

Quant à Rébecca Sabo, elle ajouta au hors-série estival de **MULOGUE** une SÉRIE de photos de mode inspirée des couleurs et des vêtements portés par les Téa Sisters ! Les cinq amies devinrent ainsi les modèles… d'un jour !

# Table des matières

Geronimo Stilton

## DANS LA MÊME COLLECTION

1. Le Sourire de Mona Sourisa
2. Le Galion des chats pirates
3. Un sorbet aux mouches pour monsieur le Comte
4. Le Mystérieux Manuscrit de Nostraratus
5. Un grand cappuccino pour Geronimo
6. Le Fantôme du métro
7. Mon nom est Stilton, Geronimo Stilton
8. Le Mystère de l'œil d'émeraude
9. Quatre Souris dans la Jungle-Noire
10. Bienvenue à Castel Radin
11. Bas les pattes, tête de reblochon !
12. L'amour, c'est comme le fromage...
13. Gare au yeti !
14. Le Mystère de la pyramide de fromage
15. Par mille mimolettes, j'ai gagné au Ratoloto !
16. Joyeux Noël, Stilton !
17. Le Secret de la famille Ténébrax
18. Un week-end d'enfer pour Geronimo
19. Le Mystère du trésor disparu
20. Drôles de vacances pour Geronimo !
21. Un camping-car jaune fromage
22. Le Château de Moustimiaou
23. Le Bal des Ténébrax
24. Le Marathon du siècle
25. Le Temple du Rubis de feu
26. Le Championnat du monde de blagues
27. Des vacances de rêve à la pension Bellerate
28. Champion de foot !
29. Le Mystérieux Voleur de fromage
30. Comment devenir une super souris en quatre jours et demi
31. Un vrai gentil rat ne pue pas !
32. Quatre Souris au Far West
33. Ouille, ouille, ouille... quelle trouille !
34. Le karaté, c'est pas pour les ratés !
35. L'Île au trésor fantôme
36. Attention les moustaches... Sourigon arrive !
37. Au secours, Patty Spring débarque !
38. La Vallée des squelettes géants
39. Opération sauvetage
40. Retour à Castel Radin
41. Enquête dans les égouts puants
42. Mot de passe : Tiramisu
43. Dur dur d'être une super souris !
44. Le Secret de la momie

45. Qui a volé le diamant géant ?
46. À l'école du fromage
47. Un Noël assourissant !
48. Le Kilimandjaro, c'est pas pour les zéros !
49. Panique au Grand Hôtel
50. Bizarres, bizarres, ces fromages !
51. Neige en juillet, moustaches gelées !
52. Camping aux chutes du Niagara
53. Agent secret Zéro Zéro K
54. Le Secret du lac disparu
55. Kidnapping chez les Ténébrax !
56. Gare au calamar !
57. Le vélo, c'est pas pour les ramollos !
58. Expédition dans les collines Noires
59. Bienvenue chez les Ténébrax !
60. La Nouvelle Star de Sourisia

- Hors-série
  Le Voyage dans le temps (tome I)
  Le Voyage dans le temps (tome II)
  Le Royaume de la Fantaisie
  Le Royaume du Bonheur
  Le Royaume de la Magie
  Le Royaume des Dragons
  Le Royaume des Elfes
  Le Secret du courage
  Énigme aux jeux Olympiques

- Téa Sisters
  Le Code du dragon
  Le Mystère de la montagne rouge
  La Cité secrète
  Mystère à Paris
  Le Vaisseau fantôme
  New York New York!
  Le Trésor sous la glace
  Destination étoiles
  La Disparue du clan MacMouse
  Le Secret des marionnettes japonaises
  La Piste du scarabée bleu
  L'Émeraude du prince indien

- Le Collège de Raxford
  Téa Sisters contre Vanilla Girls
  Le Journal intime de Colette
  Vent de panique à Raxford
  Les Reines de la danse
  Un projet top secret !
  Cinq amies pour un spectacle
  Rock à Raxford !

- Les classiques racontés par Geronimo Stilton
  Robin des Bois
  L'Île au trésor
  Le Livre de la jungle
  Peter Pan

N
S
1
2
3
4
5
6
7
8
9
10
11
12
13
14
15
16
17
18
19
20
21
22
23
24
25
ÎLE
DES BALEINES

# L'île des Baleines

1. Pic du Faucon
2. Observatoire astronomique
3. Mont Ébouleux
4. Installations photovoltaïques pour l'énergie solaire
5. Plaine du Bouc
6. Pointe Ventue
7. Plage des Tortues
8. Plage Plageuse
9. Collège de Raxford
10. Rivière Bernicle
11. *L'Antique Cancoillotterie,* restaurant et siège des *Messageries Ratiques – Transports maritimes*
12. Port
13. Maison des Calamars
14. *Zanzibazar*
15. Baie des Papillons
16. Pointe de la Moule
17. Rocher du Phare
18. Rochers du Cormoran
19. Forêt des Rossignols
20. Villa Marée, laboratoire de biologie marine
21. Forêt des Faucons
22. Grotte du Vent
23. Grotte du Phoque
24. Récif des Mouettes
25. Plage des Ânons

RAXFORD
1
2
3
4
5
6

1. Terrain de jeux
2. Appartements des professeurs
3. Club des Lézards noirs
4. Jardin
5. Tour du Sud
6. Club des Lézards verts
7. Bureau du recteur
8. Jardin des herbes aromatiques
9. Tour du Nord
10. Réfectoire
11. Amphithéâtre
12. Escalier des cartes géographiques